JOHANN WOLFGANG GOETHE

Die Geschwister

EIN SCHAUSPIEL IN EINEM AKT

Die Laune des Verliebten

EIN SCHÄFERSPIEL IN VERSEN
UND EINEM AKTE

MIT EINEM NACHWORT

PHILIPP RECLAM JUN. STUTTGART

Der Text folgt, bei behutsamer Modernisierung der Orthographie und Interpunktion: Goethes Werke. Festausgabe. Sechster Band: Dramen II. Bearbeitet von Robert Petsch. Leipzig: Bibliographisches Institut, [1926].

Universal-Bibliothek Nr. 108
Gesamtherstellung: Reclam, Ditzingen. Printed in Germany 1988
RECLAM und UNIVERSAL-BIBLIOTHEK sind eingetragene
Warenzeichen der Philipp Reclam jun. GmbH & Co., Stuttgart
ISBN 3-15-000108-0

DIE GESCHWISTER

EIN SCHAUSPIEL IN EINEM AKT

PERSONEN

Wilhelm, *ein Kaufmann*
Marianne, *seine Schwester*
Fabrice
Briefträger

Wilhelm *(an einem Pult mit Handelsbüchern und Papieren)*. Diese Woche wieder zwei neue Kunden! Wenn man sich rührt, gibt's doch immer etwas; sollt es auch nur wenig sein, am Ende summiert sich's doch, und wer klein Spiel spielt, hat immer Freude, auch am kleinen Gewinn, und der kleine Verlust ist zu verschmerzen. Was gibt's?

(Briefträger tritt auf.)

Briefträger. Einen beschwerten Brief, zwanzig Dukaten, franko halb.

Wilhelm. Gut! sehr gut! Notier Er mir's zum übrigen.

(Briefträger ab.)

Wilhelm *(den Brief ansehend)*. Ich wollte mir heute den ganzen Tag nicht sagen, daß ich sie erwartete. Nun kann ich Fabricen gerade bezahlen und mißbrauche seine Gutheit nicht weiter. Gestern sagte er mir: Morgen komm ich zu dir! Es war mir nicht recht. Ich wußte, daß er mich nicht mahnen würde, und so mahnt mich seine Gegenwart just doppelt. *(Indem er die Schatulle aufmacht und zählt.)* In vorigen Zeiten, wo ich ein bißchen bunter wirtschaftete, konnt ich die stillen Gläubiger am wenigsten leiden. Gegen einen, der mich überläuft, belagert, gegen den gilt Unverschämtheit und alles, was dran hängt; der andere, der schweigt, geht gerade ans Herz und fordert am dringendsten, da er mir sein Anliegen überläßt. *(Er legt Geld zusammen auf den Tisch.)* Lieber Gott, wie dank ich dir, daß ich aus der Wirtschaft heraus und wieder geborgen bin!

(Er hebt ein Buch auf.) Deinen Segen im kleinen! mir, der ich deine Gaben im großen verschleuderte. – Und so – Kann ich's ausdrücken? – – Doch du tust nichts für mich, wie ich nichts für mich tue. Wenn das holde liebe Geschöpf nicht wäre, säß ich hier und verglich Brüche? – O Marianne! wenn du wüßtest, daß der, den du für deinen Bruder hältst, daß der mit ganz anderm Herzen, ganz andern Hoffnungen für dich arbeitet! – Vielleicht! – Ach! – Es ist doch bitter – – Sie liebt mich – ja, als Bruder – Nein, pfui! das ist wieder Unglaube, und der hat nie was Gutes gestiftet. – Marianne! ich werde glücklich sein, du wirst's sein, Marianne!

(Marianne tritt auf.)

Marianne. Was willst du, Bruder? Du riefst mich.

Wilhelm. Ich nicht, Marianne.

Marianne. Sticht dich der Mutwille, daß du mich aus der Küche hereinvexierst?

Wilhelm. Du siehst Geister.

Marianne. Sonst wohl. Nur deine Stimme kenn ich zu gut, Wilhelm!

Wilhelm. Nun, was machst du draußen?

Marianne. Ich habe nur ein paar Tauben gerupft, weil doch wohl Fabrice heut abend mitessen wird.

Wilhelm. Vielleicht.

Marianne. Sie sind bald fertig, du darfst es nachher nur sagen. Er muß mich auch sein neues Liedchen lehren.

Wilhelm. Du lernst wohl gern was von ihm?

Marianne. Liedchen kann er recht hübsch. Und wenn du hernach so bei Tische sitzest und den Kopf hängst, da fang ich gleich an. Denn ich weiß doch, daß du lachst, wenn ich ein Liedchen anfange, das dir lieb ist.

Wilhelm. Hast du mir's abgemerkt?

Marianne. Ja, wer euch Mannsleuten auch nichts abmerkte! – Wenn du sonst nichts hast, so geh ich wieder; denn ich habe noch allerlei zu tun. Adieu. – Nun gib mir noch einen Kuß.

Wilhelm. Wenn die Tauben gut gebraten sind, sollst du einen zum Nachtisch haben.

Marianne. Es ist doch verwünscht, was die Brüder grob sind! Wenn Fabrice oder sonst ein guter Junge einen Kuß nehmen dürfte, die sprängen Wände hoch, und der Herr da verschmäht einen, den ich geben will. – Jetzt verbrenn ich die Tauben. *(Ab.)*

Wilhelm. Engel! Lieber Engel! Daß ich mich halte, daß ich ihr nicht um den Hals falle, ihr alles entdecke! – Siehst du denn auf uns herunter, heilige Frau, die du mir diesen Schatz aufzuheben gabst? – Ja, sie wissen von uns droben! sie wissen von uns! – Charlotte, du konntest meine Liebe zu dir nicht herrlicher, heiliger belohnen, als daß du mir scheidend deine Tochter anvertrautest! Du gabst mir alles, was ich bedurfte, knüpftest mich ans Leben! Ich liebte sie als dein Kind – und nun! – Noch ist mir's Täuschung. Ich glaube dich wiederzusehen, glaube, daß mir das Schicksal verjüngt dich wiedergegeben hat, daß ich nun mit dir vereinigt bleiben und wohnen kann, wie ich's in jenem ersten Traum des Lebens nicht konnte, nicht sollte! – Glücklich! Glücklich! All deinen Segen, Vater im Himmel!

(Fabrice tritt auf.)

Fabrice. Guten Abend.

Wilhelm. Lieber Fabrice, ich bin gar glücklich: es ist alles Gute über mich gekommen diesen Abend. Nun nichts von Geschäften! Da liegen deine dreihundert Taler! Frisch in die Tasche! Meinen Schein gibst du mir gelegentlich wieder. Und laß uns eins plaudern!

Fabrice. Wenn du sie weiter brauchst –

Wilhelm. Wenn ich sie wieder brauche, gut! Ich bin dir immer dankbar, nur jetzt nimm sie zu dir. – Höre, Charlottens Andenken ist diesen Abend wieder unendlich neu und lebendig vor mir geworden.

Fabrice. Das tut's wohl öfters.

Wilhelm. Du hättest sie kennen sollen! Ich sage dir, es war eins der herrlichsten Geschöpfe.

Fabrice. Sie war Witwe, wie du sie kennenlerntest?

Wilhelm. So rein und groß! Da las ich gestern noch einen ihrer Briefe. Du bist der einzige Mensch, der je was davon gesehen hat. *(Er geht nach der Schatulle.)*

Fabrice *(für sich)*. Wenn er mich nur jetzt verschonte! Ich habe die Geschichte schon so oft gehört! Ich höre ihm sonst auch gern zu, denn es geht ihm immer vom Herzen; nur heute hab ich ganz andere Sachen im Kopf, und just möcht ich ihn in guter Laune erhalten.

Wilhelm. Es war in den ersten Tagen unserer Bekanntschaft. „Die Welt wird mir wieder lieb", schreibt sie, „ich hatte mich so los von ihr gemacht, wieder lieb durch Sie. Mein Herz macht mir Vorwürfe; ich fühle, daß ich Ihnen und mir Qualen zubereite. Vor einem halben Jahre war ich so bereit zu sterben, und ich bin's nicht mehr."

Fabrice. Eine schöne Seele!

Wilhelm. Die Erde war sie nicht wert. Fabrice, ich hab dir schon oft gesagt, wie ich durch sie ein ganz anderer Mensch wurde. Beschreiben kann ich die Schmerzen nicht, wenn ich dann zurück und mein väterliches Vermögen von mir verschwendet sah! Ich durfte ihr meine Hand nicht anbieten,

konnte ihren Zustand nicht erträglicher machen. Ich fühlte
zum erstenmal den Trieb, mir einen nötigen schicklichen
Unterhalt zu erwerben; aus der Verdrossenheit, in der ich
einen Tag nach dem andern kümmerlich hingelebt hatte,
mich herauszureißen. Ich arbeitete – aber was war das? –
Ich hielt an, brachte so ein mühseliges Jahr durch; endlich
kam mir ein Schein von Hoffnung; mein weniges ver-
mehrte sich zusehends – und sie starb – Ich konnte nicht
bleiben. Du ahnest nicht, was ich litt. Ich konnte die Ge-
gend nicht mehr sehen, wo ich mit ihr gelebt hatte, und
den Boden nicht verlassen, wo sie ruhte. Sie schrieb mir
kurz vor ihrem Ende – *(Er nimmt einen Brief aus der
Schatulle.)*

Fabrice. Es ist ein herrlicher Brief, du hast mir ihn neulich
gelesen. – Höre, Wilhelm –

Wilhelm. Ich kann ihn auswendig und les ihn immer.
Wenn ich ihre Schrift sehe, das Blatt, wo ihre Hand geruht
hat, mein ich wieder, sie sei noch da – Sie ist auch noch
da! – *(Man hört ein Kind schreien.)* Daß doch Marianne
nicht ruhen kann! Da hat sie wieder den Jungen unsers
Nachbars; mit dem treibt sie sich täglich herum und stört
mich zur unrechten Zeit. *(An der Tür.)* Marianne, sei still
mit dem Jungen, oder schick ihn fort, wenn er unartig ist.
Wir haben zu reden. *(Er steht in sich gekehrt.)*

Fabrice. Du solltest diese Erinnerungen nicht so oft
reizen.

Wilhelm. Diese Zeilen sind's! diese letzten! der Abschieds-
hauch des scheidenden Engels. *(Er legt den Brief wieder
zusammen.)* Du hast recht, es ist sündlich. Wie selten sind
wir wert, die vergangenen selig-elenden Augenblicke unsers Lebens wieder zu fühlen!

Fabrice. Dein Schicksal geht mir immer zu Herzen. Sie
hinterließ eine Tochter, erzähltest du mir, die ihrer Mutter
leider bald folgte. Wenn die nur leben geblieben wäre, du
hättest wenigstens etwas von ihr übrig gehabt, etwas gehabt, woran sich deine Sorgen und dein Schmerz geheftet
hätten.

Wilhelm *(sich lebhaft nach ihm wendend).* Ihre Tochter?
Es war ein holdes Blütchen. Sie übergab mir's – Es ist zu
viel, was das Schicksal für mich getan hat! – Fabrice, wenn
ich dir alles sagen könnte –

Fabrice. Wenn dir's einmal ums Herz ist.

Wilhelm. Warum sollt ich nicht –

        (Marianne tritt auf mit einem Knaben.)

Marianne. Er will noch gute Nacht sagen, Bruder! Du
mußt ihm kein finster Gesicht machen und mir auch nicht.
Du sagst immer, du wolltest heiraten und möchtest gern
viele Kinder haben. Die hat man nicht immer so am
Schnürchen, daß sie nur schreien, wenn's dich nicht stört.

Wilhelm. Wenn's meine Kinder sind.

Marianne. Das mag wohl auch ein Unterschied sein.

Fabrice. Meinen Sie, Marianne?

Marianne. Das muß gar zu glücklich sein! *(Sie kauert sich
zum Knaben und küßt ihn.)* Ich habe Christeln so lieb!
Wenn er erst mein wäre! – Er kann schon buchstabieren;
er lernt's bei mir.

Wilhelm. Und da meinst du, deiner könnte schon lesen?

Marianne. Jawohl! Denn da tät ich mich den ganzen Tag
mit nichts abgeben, als ihn aus- und anziehen und lehren
und ihm zu essen geben und putzen und allerlei sonst.

Fabrice. Und der Mann?

Marianne. Der täte mitspielen: der würd ihn ja wohl so

liebhaben wie ich. Christel muß nach Haus und empfiehlt
sich. *(Sie führt ihn zu Wilhelmen.)* Hier, gib eine schöne
Hand, eine rechte Patschhand!

F a b r i c e *(für sich).* Sie ist gar zu lieb, ich muß mich erklären.

M a r i a n n e *(das Kind zu Fabricen führend).* Hier dem
Herrn auch.

W i l h e l m *(für sich).* Sie wird dein sein! Du wirst – Es ist
zu viel, ich verdien's nicht. – *(Laut.)* Marianne, schaff das
Kind weg; unterhalt Herrn Fabricen bis zum Nachtessen;
ich will nur ein paar Gassen auf und ab laufen; ich habe
den ganzen Tag gesessen. *(Marianne ab.)* Unter dem Stern-
himmel nur *einen* freien Atemzug! – Mein Herz ist so
voll. – Ich bin gleich wieder da! *(Ab.)*

F a b r i c e. Mach der Sache ein Ende, Fabrice. Wenn du's
nun immer länger und länger trägst, wird's doch nicht rei-
fer. Du hast's beschlossen. Es ist gut, es ist trefflich! Du
hilfst ihrem Bruder weiter, und sie – sie liebt mich nicht,
wie ich sie liebe. Aber sie kann auch nicht heftig lieben,
sie soll nicht heftig lieben! – Liebes Mädchen! – Sie ver-
mutet wohl keine andere als freundschaftliche Gesinnun-
gen in mir! – Es wird uns wohl gehen, Marianne! – Ganz
erwünscht und wie bestellt die Gelegenheit! Ich muß mich
ihr entdecken – Und wenn mich ihr Herz nicht verschmäht
– von dem Herzen des Bruders bin ich sicher.

(Marianne tritt auf.)

F a b r i c e. Haben Sie den Kleinen weggeschafft?

M a r i a n n e. Ich hätt ihn gern dabehalten; ich weiß nur, der
Bruder hat's nicht gern, und da unterlaß ich's. Manchmal
erbettelt sich der kleine Dieb selbst die Erlaubnis von ihm,
mein Schlafkamerade zu sein.

Fabrice. Ist er Ihnen denn nicht lästig?

Marianne. Ach, gar nicht. Er ist so wild den ganzen Tag, und wenn ich zu ihm ins Bette komm, ist er so gut wie ein Lämmchen! Ein Schmeichelkätzchen! und herzt mich, was er kann; manchmal kann ich ihn gar nicht zum Schlafen bringen.

Fabrice *(halb für sich)*. Die liebe Natur!

Marianne. Er hat mich auch lieber als seine Mutter.

Fabrice. Sie sind ihm auch Mutter. *(Marianne steht in Gedanken, Fabrice sieht sie eine Zeitlang an.)* Macht Sie der Name Mutter traurig?

Marianne. Nicht traurig, aber ich denke nur so.

Fabrice. Was, süße Marianne?

Marianne. Ich denke – ich denke auch nichts. Es ist mir nur manchmal so wunderbar.

Fabrice. Sollten Sie nie gewünscht haben? –

Marianne. Was tun Sie für Fragen?

Fabrice. Fabrice wird's doch dürfen?

Marianne. Gewünscht nie, Fabrice. Und wenn mir auch einmal so ein Gedanke durch den Kopf fuhr, war er gleich wieder weg. Meinen Bruder zu verlassen wäre mir unerträglich – unmöglich –, alle übrige Aussicht möchte auch noch so reizend sein.

Fabrice. Das ist doch wunderbar! Wenn Sie in *einer* Stadt beieinander wohnten, hieße das ihn verlassen?

Marianne. O nimmermehr! Wer sollte seine Wirtschaft führen? Wer für ihn sorgen? – Mit einer Magd? – oder gar heiraten? – Nein, das geht nicht!

Fabrice. Könnte er nicht mit Ihnen ziehen? Könnte Ihr Mann nicht sein Freund sein? Könnten Sie drei nicht ebenso eine glückliche, eine glücklichere Wirtschaft führen? Könnte

Ihr Bruder nicht dadurch in seinen sauern Geschäften erleichtert werden? Was für ein Leben könnte das sein!

Marianne. Man sollt's denken. Wenn ich's überlege, ist's wohl wahr. Und hernach ist mir's wieder so, als wenn's nicht anginge.

Fabrice. Ich begreife Sie nicht.

Marianne. Es ist nun so – Wenn ich aufwache, horch ich, ob der Bruder schon auf ist; rührt sich nichts, hui bin ich aus dem Bette in der Küche, mache Feuer an, daß das Wasser über und über kocht, bis die Magd aufsteht, und er seinen Kaffee hat, wie er die Augen auftut.

Fabrice. Hausmütterchen!

Marianne. Und dann setze ich mich hin und stricke Strümpfe für meinen Bruder und hab eine Wirtschaft und messe sie ihm zehnmal an, ob sie auch lang genug sind, ob die Wade recht sitzt, ob der Fuß nicht zu kurz ist, daß er manchmal ungeduldig wird. Es ist mir auch nicht ums Messen; es ist mir nur, daß ich was um ihn zu tun habe, daß er mich einmal ansehen muß, wenn er ein paar Stunden geschrieben hat, und er mir nicht Hypochonder wird. Denn es tut ihm doch wohl, wenn er mich ansieht; ich seh's ihm an den Augen ab, wenn er mir's gleich sonst nicht will merken lassen. Ich lache manchmal heimlich, daß er tut, als wenn er ernst wäre oder böse. Er tut wohl; ich peinigte ihn sonst den ganzen Tag.

Fabrice. Er ist glücklich.

Marianne. Nein, ich bin's. Wenn ich ihn nicht hätte, wüßt ich nicht, was ich in der Welt anfangen sollte. Ich tue doch auch alles für mich, und mir ist, als wenn ich alles für ihn täte, weil ich auch bei dem, was ich für mich tue, immer an ihn denke.

Fabrice. Und wenn Sie nun das alles für einen Gatten tä-
ten, wie ganz glücklich würde er sein! Wie dankbar würde
er sein, und welch ein häuslich Leben würde das werden!

Marianne. Manchmal stell ich mir's auch vor und kann
mir ein langes Märchen erzählen, wenn ich so sitze und
stricke oder nähe, wie alles gehen könnte und gehen möchte.
Komm ich aber hernach aufs Wahre zurück, so will's immer nicht werden.

Fabrice. Warum?

Marianne. Wie wollt ich einen Gatten finden, der zufrieden wäre, wenn ich sagte: Ich will Euch liebhaben, und
müßte gleich dazusetzen: Lieber als meinen Bruder kann
ich Euch nicht haben, für den muß ich alles tun dürfen, wie
bisher. – – – Ach, Sie sehen, daß das nicht geht!

Fabrice. Sie würden nachher einen Teil für den Mann tun,
was Sie für den Bruder taten, Sie würden die Liebe auf
ihn übertragen. –

Marianne. Da sitzt der Knoten! Ja, wenn sich Liebe herüber und hinüber zahlen ließe, wie Geld, oder den Herrn
alle Quartal veränderte, wie eine schlechte Dienstmagd.
Bei einem Manne würde das alles erst werden müssen, was
hier schon ist, was nie so wieder werden kann.

Fabrice. Es macht sich viel.

Marianne. Ich weiß nicht; wenn er so bei Tische sitzt und
den Kopf auf die Hand stemmt und niedersieht und still
ist in Sorgen – ich kann halbe Stunden lang sitzen und ihn
ansehen. Er ist nicht schön, sag ich manchmal zu mir selbst,
und mir ist's so wohl, wenn ich ihn ansehe. – Freilich fühl
ich nun wohl, daß es mit für mich ist, wenn er sorgt; freilich sagt mir das der erste Blick, wenn er wieder aufsieht,
und das tut ein Großes.

Fabrice. Alles, Marianne. Und ein Gatte, der für Sie
    sorgte! –

Marianne. Da ist noch *eins*: das sind eure Launen. Wil-
    helm hat auch seine Launen; von ihm drücken sie mich
    nicht, von jedem andern wären sie mir unerträglich. Er hat
    leise Launen, ich fühl sie doch manchmal. Wenn er in un-
    holden Augenblicken eine gute teilnehmende liebevolle
    Empfindung wegstößt – es trifft mich! freilich nur einen
    Augenblick; und wenn ich auch über ihn knurre, so ist's
    mehr, daß er meine Liebe nicht erkennt, als daß ich ihn
    weniger liebe.

Fabrice. Wenn sich nun aber einer fände, der es auf alles
    das hin wagen wollte, Ihnen seine Hand anzubieten?

Marianne. Er wird sich nicht finden! Und dann wäre die
    Frage, ob ich's mit ihm wagen dürfte!

Fabrice. Warum nicht?

Marianne. Er wird sich nicht finden!

Fabrice. Marianne, Sie haben ihn!

Marianne. Fabrice!

Fabrice. Sie sehen ihn vor sich. Soll ich eine lange Rede
    halten? Soll ich Ihnen hinschütten, was mein Herz so lange
    bewahrt? Ich liebe Sie, das wissen Sie lange; ich biete Ihnen
    meine Hand an, das vermuteten Sie nicht. Nie hab ich ein
    Mädchen gesehen, das so wenig dachte, daß es Gefühle
    dem, der sie sieht, erregen muß, als dich. – Marianne, es ist
    nicht ein feuriger, unbedachter Liebhaber, der mit Ihnen
    spricht; ich kenne Sie, ich habe Sie erkoren, mein Haus ist
    eingerichtet; wollen Sie mein sein? – – – Ich habe in der
    Liebe mancherlei Schicksale gehabt, war mehr als einmal
    entschlossen, mein Leben als Hagestolz zu enden. Sie ha-
    ben mich nun – Widerstehen Sie nicht! Sie kennen mich;

ich bin eins mit Ihrem Bruder; Sie können kein reineres Band denken. – Öffnen Sie Ihr Herz! – *Ein* Wort, Marianne!

Marianne. Lieber Fabrice, lassen Sie mir Zeit, ich bin Ihnen gut.

Fabrice. Sagen Sie, daß Sie mich lieben! Ich lasse Ihrem Bruder seinen Platz; ich will Bruder Ihres Bruders sein, wir wollen vereint für ihn sorgen. Mein Vermögen, zu dem seinen geschlagen, wird ihn mancher kummervollen Stunde überheben, er wird Mut kriegen, er wird – Marianne, ich möchte Sie nicht gern überreden. *(Er faßt ihre Hand.)*

Marianne. Fabrice, es ist mir nie eingefallen – In welche Verlegenheit setzen Sie mich! –

Fabrice. Nur *ein* Wort! Darf ich hoffen?

Marianne. Reden Sie mit meinem Bruder!

Fabrice *(kniet)*. Engel! Allerliebste!

Marianne *(einen Augenblick still)*. Gott! was hab ich gesagt! *(Ab.)*

Fabrice. Sie ist dein – – – Ich kann dem lieben kleinen Narren wohl die Tändelei mit dem Bruder erlauben; das wird sich so nach und nach herübergeben, wenn wir einander näher kennenlernen, und er soll nichts dabei verlieren. Es tut mir gar wohl, wieder so zu lieben und gelegentlich wieder so geliebt zu werden! Es ist doch eine Sache, woran man nie den Geschmack verliert. – Wir wollen zusammen wohnen. Ohne das hätt ich des guten Menschen gewissenhafte Häuslichkeit zeither schon gern ein bißchen ausgeweitet; als Schwager wird's schon gehen. Er wird sonst ganz Hypochonder mit seinen ewigen Erinnerungen, Bedenklichkeiten, Nahrungssorgen und Geheimnissen. Es wird alles hübsch! Er soll freiere Luft atmen; das

Mädchen soll einen Mann haben — das nicht wenig ist;
und du kriegst noch mit Ehren eine Frau — das viel ist!
(Wilhelm tritt auf.)

Fabrice. Ist dein Spaziergang zu Ende?

Wilhelm. Ich ging auf den Markt und die Pfarrgasse hin-
auf und an der Börse zurück. Mir ist's immer eine wun-
derliche Empfindung, nachts durch die Stadt zu gehen. Wie
von der Arbeit des Tages alles teils zur Ruh ist, teils dar-
nach eilt, und man nur noch die Emsigkeit des kleinen
Gewerbes in Bewegung sieht! Ich hatte meine Freude an
einer alten Käsefrau, die, mit der Brille auf der Nase,
beim Stümpfchen Licht ein Stück nach dem andern auf die
Waage legte und ab- und zuschnitt, bis die Käuferin ihr
Gewicht hatte.

Fabrice. Jeder bemerkt in seiner Art. Ich glaub, es sind
viele die Straße gegangen, die nicht nach den Käsemüttern
und ihren Brillen geguckt haben.

Wilhelm. Was man treibt, gewinnt man lieb, und der Er-
werb im kleinen ist mir ehrwürdig, seit ich weiß, wie sauer
ein Taler wird, wenn man ihn groschenweise verdienen
soll. *(Steht einige Augenblicke in sich gekehrt.)* Mir ist
ganz wunderbar geworden auf dem Wege. Es sind mir so
viele Sachen auf einmal und durcheinander eingefallen —
und das, was mich im Tiefsten meiner Seele beschäftigt —
(Er wird nachdenkend.)

Fabrice *(für sich)*. Es geht mir närrisch; sobald er gegen-
wärtig ist, untersteh ich mich nicht recht, zu bekennen, daß
ich Mariannen liebe. — Ich muß ihm doch erzählen, was
vorgegangen ist. — *(Laut.)* Wilhelm! sag mir! du wolltest
hier ausziehen? Du hast wenig Gelaß und sitzest teuer.
Weißt du ein ander Quartier?

Wilhelm *(zerstreut)*. Nein.

Fabrice. Ich dächte, wir könnten uns beide erleichtern. Ich habe da mein väterliches Haus und bewohne nur den obern Stock, und den untern könntest du einnehmen; du verheiratest dich doch so bald nicht. – Du hast den Hof und eine kleine Niederlage für deine Spedition und gibst mir einen leidlichen Hauszins, so ist uns beiden geholfen.

Wilhelm. Du bist gar gut. Es ist mir wahrlich auch manchmal eingefallen, wenn ich zu dir kam und so viel leerstehen sah, und ich muß mich so ängstlich behelfen. – Dann sind wieder andre Sachen – – – Man muß es eben sein lassen, es geht doch nicht.

Fabrice. Warum nicht?

Wilhelm. Wenn ich nun heiratete?

Fabrice. Dem wäre zu helfen. Ledig hättest du mit deiner Schwester Platz, und mit einer Frau ging's ebensowohl.

Wilhelm *(lächelnd)*. Und meine Schwester?

Fabrice. Die nähm ich allenfalls zu mir. *(Wilhelm ist still.)* Und auch ohne das. Laß uns ein klug Wort reden. – Ich liebe Mariannen; gib mir sie zur Frau!

Wilhelm. Wie?

Fabrice. Warum nicht? Gib dein Wort! Höre mich, Bruder! Ich liebe Mariannen! Ich hab's lang überlegt: sie allein, du allein, ihr könnt mich so glücklich machen, als ich auf der Welt noch sein kann. Gib mir sie! Gib mir sie!

Wilhelm *(verworren)*. Du weißt nicht, was du willst.

Fabrice. Ach, wie wohl weiß ich's! Soll ich dir alles vorerzählen, was mir fehlt und was ich haben werde, wenn sie meine Frau und du mein Schwager werden wirst?

Wilhelm *(aus Gedanken auffahrend, hastig)*. Nimmermehr! nimmermehr!

Fabrice. Was hast du? – Mir tut's weh – Den Abscheu! –
Wenn du einen Schwager haben sollst, wie sich's doch früh
oder später macht, warum mich nicht? den du so kennst,
den du liebst! Wenigstens glaubt ich –

Wilhelm. Laß mich! – – Ich hab keinen Verstand.

Fabrice. Ich muß alles sagen. Von dir allein hängt mein
Schicksal ab. Ihr Herz ist mir geneigt, das mußt du ge-
merkt haben. Sie liebt dich mehr, als sie mich liebt; ich
bin's zufrieden. Den Mann wird sie mehr als den Bruder
lieben; ich werde in deine Rechte treten, du in meine, und
wir werden alle vergnügt sein. Ich habe noch keinen Knoten gesehen, der sich so menschlich schön knüpfte. *(Wilhelm stumm.)* Und was alles fest macht – Bester, gib du
nur dein Wort, deine Einwilligung! Sag ihr, daß dich's
freut, daß dich's glücklich macht – Ich hab ihr Wort.

Wilhelm. Ihr Wort?

Fabrice. Sie warf's hin, wie einen scheidenden Blick, der
mehr sagte, als alles Bleiben gesagt hätte. Ihre Verlegenheit und ihre Liebe, ihr Wollen und Zittern, es war so
schön.

Wilhelm. Nein! Nein!

Fabrice. Ich versteh dich nicht. Ich fühle, du hast keinen
Widerwillen gegen mich und bist mir so entgegen? Sei's
nicht! Sei ihrem Glücke, sei meinem nicht hinderlich! –
Und ich denke immer, du sollst mit uns glücklich sein! –
Versag meinen Wünschen dein Wort nicht! dein freundlich
Wort! *(Wilhelm stumm in streitenden Qualen.)* Ich be-
greife dich nicht –

Wilhelm. Sie? – Du willst sie haben? –

Fabrice. Was ist das?

Wilhelm. Und sie dich?

Fabrice. Sie antwortete, wie's einem Mädchen ziemt.

Wilhelm. Geh! geh! – Marianne! – – Ich ahnt es! ich fühlt es!

Fabrice. Sag mir nur –

Wilhelm. Was sagen! – Das war's, was mir auf der Seele lag diesen Abend, wie eine Wetterwolke. Es zuckt, es schlägt – – Nimm sie! – Nimm sie! Mein Einziges – mein Alles! *(Fabrice ihn stumm ansehend.)* Nimm sie! – Und daß du weißt, was du mir nimmst – *(Pause. Er rafft sich zusammen.)* Von Charlotten erzähl ich dir, dem Engel, der meinen Händen entwich und mir sein Ebenbild, eine Tochter, hinterließ – – und diese Tochter – ich habe dich belogen – sie ist nicht tot; diese Tochter ist Marianne! – Marianne ist nicht meine Schwester.

Fabrice. Darauf war ich nicht vorbereitet.

Wilhelm. Und von dir hätt ich das fürchten sollen! – Warum folgt ich meinem Herzen nicht und verschloß dir mein Haus wie jedem in den ersten Tagen, da ich herkam? Dir allein vergönnt ich einen Zutritt in dies Heiligtum, und du wußtest mich durch Güte, Freundschaft, Unterstützung, scheinbare Kälte gegen die Weiber einzuschläfern. Wie ich dem Schein nach ihr Bruder war, hielt ich dein Gefühl für sie für das wahre brüderliche; und wenn mir ja auch manchmal ein Argwohn kommen wollte, warf ich ihn weg als unedel, schrieb ihre Gutheit für dich auf Rechnung des Engelherzens, das eben alle Welt mit einem liebevollen Blick ansieht. – Und du! – Und sie!

Fabrice. Ich mag nichts weiter hören, und zu sagen hab ich auch nichts. Also adieu! *(Ab.)*

Wilhelm. Geh nur! – Du trägst sie alle mit dir weg, meine ganze Seligkeit. So weggeschnitten, weggebrochen alle Aus-

sichten – die nächsten – auf einmal – am Abgrunde! und
zusammengestürzt die goldne Zauberbrücke, die mich in
die Wonne der Himmel hinüberführen sollte – Weg! und
durch ihn, den Verräter! der so mißbraucht hat die Offen-
heit, das Zutrauen! – – O Wilhelm! Wilhelm! bist du so
weit gebracht, daß du gegen den guten Menschen ungerecht
sein mußt? – Was hat er verbrochen? – – – Du liegst schwer
über mir und bist gerecht, vergeltendes Schicksal! – Warum
stehst du da? Und du? Just in dem Augenblicke! – Verzeiht
mir! Hab ich nicht gelitten dafür? – Verzeiht! es ist lange! –
Ich habe unendlich gelitten. Ich schien euch zu lieben; ich
glaubte euch zu lieben; mit leichtsinnigen Gefälligkeiten
schloß ich euer Herz auf und machte euch elend! – Verzeiht und laßt mich – Soll ich so gestraft werden? – Soll
ich Mariannen verlieren? Die letzte meiner Hoffnungen,
den Inbegriff meiner Sorgen? – Es kann nicht! es kann
nicht! *(Er bleibt stille.)*

(Marianne tritt auf.)

Marianne *(naht verlegen)*. Bruder!

Wilhelm. Ah!

Marianne. Lieber Bruder, du mußt mir vergeben, ich bitte
dich um alles. Du bist böse, ich dacht es wohl. Ich habe eine
Torheit begangen – es ist mir ganz wunderlich.

Wilhelm *(sich zusammennehmend)*. Was hast du, Mädchen?

Marianne. Ich wollte, daß ich dir's erzählen könnte. – Mir
geht's so konfus im Kopf herum. – Fabrice will mich zur
Frau, und ich –

Wilhelm *(halb bitter)*. Sag's heraus, du schlägst ein?

Marianne. Nein, nicht ums Leben! Nimmermehr werd ich
ihn heiraten; ich kann ihn nicht heiraten.

Wilhelm. Wie anders klingt das?

Marianne. Wunderlich genug. Du bist gar unhold, Bruder; ich ginge gern und wartete eine gute Stunde ab, wenn mir's nicht gleich vom Herzen müßte: ein für allemal: ich kann Fabricen nicht heiraten.

Wilhelm *(steht auf und nimmt sie bei der Hand)*. Wie, Marianne?

Marianne. Er war da und redete so viel und stellte mir so allerlei vor, daß ich mir einbildete, es wäre möglich. Er drang so, und in der Unbesonnenheit sagt ich, er sollte mit dir reden. – Er nahm das als Jawort, und im Augenblicke fühlt ich, daß es nicht werden konnte.

Wilhelm. Er hat mit mir gesprochen.

Marianne. Ich bitte dich, was ich kann und mag, mit all der Liebe, die ich zu dir habe, bei all der Liebe, mit der du mich liebst, mach es wieder gut, bedeut ihn!

Wilhelm *(für sich)*. Ewiger Gott!

Marianne. Sei nicht böse! Er soll auch nicht böse sein. Wir wollen wieder leben wie vorher und immer so fort. – Denn nur mit dir kann ich leben, mit dir allein mag ich leben. Es liegt von jeher in meiner Seele, und dieses hat's herausgeschlagen, gewaltsam herausgeschlagen – Ich liebe nur dich!

Wilhelm. Marianne!

Marianne. Bester Bruder! Diese Viertelstunde über – ich kann dir nicht sagen, was in meinem Herzen auf- und abgerannt ist. – Es ist mir wie neulich, da es auf dem Markte brannte und erst Rauch und Dampf über alles zog, bis auf einmal das Feuer das Dach hob und das ganze Haus in *einer* Flamme stand. – Verlaß mich nicht! Stoß mich nicht von dir, Bruder!

Wilhelm. Es kann doch nicht immer so bleiben.

Marianne. Das eben ängstet mich so! – Ich will dir gern versprechen, nicht zu heiraten, ich will immer für dich sorgen, immer, immer so fort. – Da drüben wohnen so ein paar alte Geschwister zusammen; da denk ich manchmal zum Spaß: wenn du so alt und schrumpflich bist, wenn ihr nur so zusammen seid.

Wilhelm *(sein Herz haltend, halb für sich).* Wenn du das aushältst, bist du nie wieder zu enge!

Marianne. Dir ist's nun wohl nicht so; du nimmst doch noch eine Frau mit der Zeit, und es würde mir immer leid tun, wenn ich sie auch noch so gern lieben wollte. – Es hat dich niemand so lieb wie ich; es kann dich niemand so lieb haben. *(Wilhelm versucht zu reden.)* Du bist immer so zurückhaltend, und ich hab's immer im Munde, dir ganz zu sagen, wie mir's ist, und wag's nicht. Gott sei Dank, daß mir der Zufall die Zunge löst!

Wilhelm. Nichts weiter, Marianne!

Marianne. Du sollst mich nicht hindern, laß mich alles sagen! Dann will ich in die Küche gehen und tagelang an meiner Arbeit sitzen, nur manchmal dich ansehn, als wollt ich sagen: du weißt's! *(Wilhelm stumm in dem Umfange seiner Freuden.)* Du konntest es lange wissen, du weißt's auch, seit dem Tod unserer Mutter, wie ich aufkam aus der Kindheit und immer mit dir war. – Sieh, ich fühlte mehr Vergnügen, bei dir zu sein, als Dank für deine mehr als brüderliche Sorgfalt. Und nach und nach nahmst du so mein ganzes Herz, meinen ganzen Kopf ein, daß jetzt noch etwas anders Mühe hat, ein Plätzchen drin zu gewinnen. Ich weiß wohl noch, daß du manchmal lachtest, wenn ich Romane las: es geschah einmal mit der Julie Mandeville,

und ich fragte, ob der Heinrich, oder wie er heißt, nicht
ausgesehen habe wie du? – Du lachtest – das gefiel mir
nicht. Da schwieg ich ein andermal still. Mir war's aber
ganz ernsthaft; denn was die liebsten, die besten Menschen
waren, die sahen bei mir alle aus wie du. Dich sah ich in
den großen Gärten spazieren und reiten und reisen und
sich duellieren – – *(Sie lacht für sich.)*

Wilhelm. Wie ist dir?

Marianne. Daß ich's ebensomehr auch gestehe: wenn eine
Dame recht hübsch war und recht gut und recht geliebt
– und recht verliebt – das war ich immer selbst. – Nur
zuletzt, wenn's an die Entwicklung kam und sie sich nach
allen Hindernissen noch heirateten – – Ich bin doch auch
gar ein treuherziges, gutes, geschwätziges Ding!

Wilhelm. Fahr fort! *(Weggewendet.)* Ich muß den Freu-
denkelch austrinken. Erhalte mich bei Sinnen, Gott im
Himmel!

Marianne. Unter allem konnt ich am wenigsten leiden,
wenn sich ein paar Leute liebhaben, und endlich kommt
heraus, daß sie verwandt sind oder Geschwister sind – Die
Miß Fanny hätt ich verbrennen können! Ich habe so viel
geweint! Es ist so ein gar erbärmlich Schicksal! *(Sie wendet
sich und weint bitterlich.)*

Wilhelm *(auffahrend, an ihrem Hals)*. Marianne! – meine
Marianne!

Marianne. Wilhelm! nein! nein! Ewig laß ich dich nicht!
Du bist mein! – Ich halte dich! ich kann dich nicht lassen!

(Fabrice tritt auf.)

Marianne. Ha, Fabrice, Sie kommen zur rechten Zeit!
Mein Herz ist offen und stark, daß ich's sagen kann. Ich

habe Ihnen nichts zugesagt. Sei'n Sie unser Freund! Heiraten werd ich Sie nie.

Fabrice *(kalt und bitter).* Ich dacht es, Wilhelm! Wenn du dein ganzes Gewicht auf die Schale legtest, mußt ich zu leicht erfunden werden. Ich komme zurück, daß ich mir vom Herzen schaffe, was doch herunter muß. Ich gebe alle Ansprüche auf und sehe, die Sachen haben sich schon gemacht; mir ist wenigstens lieb, daß ich unschuldige Gelegenheit dazu gegeben habe.

Wilhelm. Lästre nicht in dem Augenblick, und raube dir nicht ein Gefühl, um das du vergebens in die weite Welt wallfahrtetest! Siehe hier das Geschöpf – sie ist ganz mein – – und sie weiß nicht –

Fabrice *(halb spottend).* Sie weiß nicht?

Marianne. Was weiß ich nicht?

Wilhelm. Hier lügen, Fabrice –?

Fabrice *(getroffen).* Sie weiß nicht?

Wilhelm. Ich sag's.

Fabrice. Behaltet einander, ihr seid einander wert!

Marianne. Was ist das?

Wilhelm *(ihr um den Hals fallend).* Du bist mein, Marianne!

Marianne. Gott! was ist das? – Darf ich dir diesen Kuß zurückgeben? – Welch ein Kuß war das, Bruder?

Wilhelm. Nicht des zurückhaltenden, kalt scheinenden Bruders, der Kuß eines ewig einzig glücklichen Liebhabers. – *(Zu ihren Füßen.)* Marianne, du bist nicht meine Schwester! Charlotte war deine Mutter, nicht meine.

Marianne. Du! du!

Wilhelm. Dein Geliebter! – Von dem Augenblick an dein Gatte, wenn du ihn nicht verschmähst.

Marianne. Sag mir, wie war's möglich?

Fabrice. Genießt, was euch Gott selbst nur einmal geben
kann! Nimm es an, Marianne, und frag nicht. – Ihr wer-
det noch Zeit genug finden, euch zu erklären.

Marianne *(ihn ansehend)*. Nein, es ist nicht möglich.

Wilhelm. Meine Geliebte, meine Gattin!

Marianne *(an seinem Hals)*. Wilhelm, es ist nicht möglich!

DIE LAUNE DES VERLIEBTEN

EIN SCHÄFERSPIEL IN VERSEN
UND EINEM AKTE

PERSONEN

Egle
Amine
Eridon
Lamon

ERSTER AUFTRITT

Amine und Egle sitzen an der einen Seite des Theaters und winden Kränze. Lamon kommt dazu und bringt ein Körbchen mit Blumen.

Lamon *(indem er das Körbchen niedersetzt).*
  Hier sind noch Blumen.
Egle.   Gut!
Lamon.   Seht doch, wie schön sie sind!
  Die Nelke brach ich dir.
Egle.   Die Rose! –
Lamon.   Nein, mein Kind!
  Aminen reich ich heut das Seltene vom Jahr;
  Die Rose seh ich gern in einem schwarzen Haar.
Egle.
  Und das soll ich wohl gar verbindlich, artig nennen?
Lamon.
  Wie lange liebst du mich schon, ohne mich zu kennen?
  Ich weiß es ganz gewiß, du liebst nur mich allein,
  Und dieses muntre Herz ist auch auf ewig dein,
  Du weißt es. Doch verlangst du mich noch mehr zu
                                         binden?
  Ist es wohl scheltenswert, auch andre schön zu finden?
  Ich wehre dir ja nicht, zu sagen: Der ist schön,

Der artig, scherzhaft der! ich will es eingestehn,
Nicht böse sein.

Egle.　　　　　Sei's nicht, ich will es auch nicht werden.
Wir fehlen beide gleich. Mit freundlichen Gebärden
Hör ich gar manchen an, und mancher Schäferin
Sagst du was Süßes vor, wenn ich nicht bei dir bin.
Dem Herzen läßt sich wohl, dem Scherze nicht gebieten;
Vor Unbeständigkeit muß uns der Leichtsinn hüten.
Mich kleidet Eifersucht noch weniger als dich.

(Zu Aminen.)

Du lächelst über uns! Was denkst du, Liebe? sprich!

Amine.

Nicht viel.

Egle.　　　Genug, mein Glück und deine Qual zu fühlen.

Amine.

Wieso?

Egle.　Wieso! Anstatt daß wir zusammen spielen,
Daß Amors Schläfrigkeit bei unserm Lachen flieht,
Beginnet deine Qual, wenn dich dein Liebster sieht.
Nie war der Eigensinn bei einem Menschen größer.
Du denkst, er liebe dich. O nein, ich kenn ihn besser;
Er sieht, daß du gehorchst, drum liebt dich der Tyrann,
Damit er jemand hat, dem er befehlen kann.

Amine.

Ach, er gehorcht mir oft.

Egle.　　　　　Um wieder zu befehlen.
Mußt du nicht jeden Blick von seinen Augen stehlen?
Die Macht, von der Natur in unsern Blick gelegt,
Daß er den Mann entzückt, daß er ihn niederschlägt,
Hast du an ihn geschenkt und mußt dich glücklich halten,
Wenn er nur freundlich sieht. Die Stirne voller Falten,

Die Augenbraunen tief, die Augen düster, wild,
Die Lippen aufgedrückt, ein liebenswürdig Bild,
Wie er sich täglich zeigt, bis Bitten, Küsse, Klagen
Den rauhen Winterzug von seiner Stirne jagen.

Amine.
Du kennst ihn nicht genug, du hast ihn nicht geliebt.
Es ist nicht Eigensinn, der seine Stirne trübt;
Ein launischer Verdruß ist seines Herzens Plage
Und trübet mir und ihm die besten Sommertage;
Und doch vergnüg ich mich, da, wenn er mich nur sieht,
Wenn er mein Schmeicheln hört, bald seine Laune flieht.

Egle.
Fürwahr ein großes Glück, das man entbehren könnte.
Doch nenne mir die Lust, die er dir je vergönnte?
Wie pochte deine Brust, wenn man vom Tanze sprach;
Dein Liebster flieht den Tanz und zieht dich Arme nach.
Kein Wunder, daß er dich bei keinem Feste leidet,
Da er der Wiese Gras um deine Tritte neidet,
Den Vogel, den du liebst, als Nebenbuhler haßt;
Wie könnt er ruhig sein, wenn dich ein andrer faßt
Und gar, indem er sich mit dir im Reihen kräuselt,
Dich zärtlich an sich drückt und Liebesworte säuselt.

Amine.
Sei auch nicht ungerecht, da er mich dieses Fest,
Weil ich ihn darum bat, mit euch begehen läßt.

Egle.
Du wirst das fühlen.

Amine.   Wie?

Egle.   Warum bleibt er zurücke?

Amine.
Er liebt den Tanz nicht sehr.

E g l e.   Nein, es ist eine Tücke.
Kommst du vergnügt zurück, fängt er halb spöttisch an:
Ihr wart wohl sehr vergnügt? – Sehr. – Das war
                                    wohlgetan.
Ihr spieltet? – Pfänder. – So! Damöt war auch zugegen?
Und tanztet? – Um den Baum. – Ich hätt euch sehen
                                    mögen.
Er tanzte wohl recht schön? Was gabst du ihm zum Lohn?
A m i n e *(lächelnd)*.
 Ja.
E g l e.
   Lachst du?
A m i n e.   Freundin, ja, das ist sein ganzer Ton. –
Noch Blumen!
L a m o n.   Hier! das sind die besten.
A m i n e.   Doch mit Freuden
Seh ich ihn meinen Blick der ganzen Welt beneiden;
Ich seh an diesem Neid, wie mich mein Liebster schätzt,
Und meinem kleinen Stolz wird alle Qual ersetzt.
E g l e.
Kind, ich bedaure dich, du bist nicht mehr zu retten,
Da du dein Elend liebst; du klirrst mit deinen Ketten
Und überredest dich, es sei Musik.
A m i n e.   Ein Band
Zur Schleife fehlt mir noch.
E g l e *(zu Lamon)*.   Du hast mir eins entwandt,
Das ich vom Maienkranz beim Frühlingsfest bekommen.
L a m o n.
Ich will es holen.
E g l e.   Doch du mußt bald wiederkommen.

ZWEITER AUFTRITT

Egle. Amine.

Amine.
  Er achtet das nicht viel, was ihm sein Mädchen schenkt.
Egle.
  Mir selbst gefällt es nicht, wie mein Geliebter denkt;
  Zu wenig rühren ihn der Liebe Tändeleien,
  Die ein empfindlich Herz, so klein sie sind, erfreuen.
  Doch, Freundin, glaube mir, es ist geringre Pein,
  Nicht gar so sehr geliebt, als es zu sehr zu sein.
  Die Treue lob ich gern; doch muß sie unserm Leben,
  Bei voller Sicherheit, die volle Ruhe geben.
Amine.
  Ach, Freundin! schätzenswert ist solch ein zärtlich Herz.
  Zwar oft betrübt er mich, doch rührt ihn auch mein
                                        Schmerz.
  Wirft er mir etwas vor, fängt er an, mich zu plagen,
  So darf ich nur ein Wort, ein gutes Wort nur sagen,
  Gleich ist er umgekehrt, die wilde Zanksucht flieht,
  Er weint sogar mit mir, wenn er mich weinen sieht,
  Fällt zärtlich vor mir hin und fleht, ihm zu vergeben.
Egle.
  Und du vergibst ihm?
Amine.   Stets.
Egle.   Heißt das nicht elend leben?
  Dem Liebsten, der uns stets beleidigt, stets verzeihn,
  Um Liebe sich bemühn und nie belohnt zu sein!
Amine.
  Was man nicht ändern kann –

Egle.   Nicht ändern? Ihn bekehren
  Ist keine Schwierigkeit.
Amine.   Wie das?
Egle.   Ich will dich's lehren.
  Es stammet deine Not, die Unzufriedenheit
  Des Eridons –
Amine.   Von was?
Egle.   Von deiner Zärtlichkeit.
Amine.
  Die, dächt ich, sollte nichts als Gegenlieb entzünden.
Egle.
  Du irrst; sei hart und streng, du wirst ihn zärtlich finden.
  Versuch es nur einmal, bereit ihm kleine Pein:
  Erringen will der Mensch, er will nicht sicher sein.
  Kommt Eridon, mit dir ein Stündchen zu verbringen,
  So weiß er nur zu gut, es muß ihm stets gelingen.
  Der Nebenbuhler Zahl ist ihm nicht fürchterlich;
  Er weiß, du liebest ihn weit stärker als er dich.
  Sein Glück ist ihm zu groß, und er ist zu belachen,
  Da er kein Elend hat, will er sich Elend machen.
  Er sieht, daß du nichts mehr als ihn auf Erden liebst,
  Und zweifelt nur, weil du ihm nichts zu zweifeln gibst.
  Begegn' ihm, daß er glaubt, du könntest ihn entbehren;
  Zwar wird er rasen, doch das wird nicht lange währen,
  Dann wird ein Blick ihn mehr als jetzt ein Kuß erfreun;
  Mach, daß er fürchten muß, und er wird glücklich sein.
Amine.
  Ja, das ist alles gut; allein es auszuführen
  Vermag ich nicht.
Egle.   Wer wird auch gleich den Mut verlieren.
  Geh, du bist allzu schwach. Sieh dort!

Amine.   Mein Eridon?
Egle.
  Das dacht ich. Armes Kind! er kommt, du zitterst schon
  Vor Freude, das ist nichts; willst du ihn je bekehren,
  Mußt du ihn ruhig sehn sich nahn, ihn ruhig hören.
  Das Wallen aus der Brust! die Röte vom Gesicht!
  Und dann –
Amine.   O laß mich los! So liebt Amine nicht.

DRITTER AUFTRITT

Eridon kommt langsam mit übereinandergelegten Armen,
Amine steht auf und läuft ihm entgegen. Egle bleibt in ihrer
Beschäftigung sitzen.

Amine *(ihn bei der Hand fassend).*
  Geliebter Eridon!
Eridon *(küßt ihr die Hand).*
                Mein Mädchen!
Egle *(für sich).*   Ach wie süße!
Amine.
  Die schönen Blumen! Sprich, mein Freund, wer gab dir
                                    diese?
Eridon.
  Wer? meine Liebste.
Amine.   Wie? – Ah, sind das die von mir?
  So frisch von gestern noch?

Eridon.   Erhalt ich was von dir,
   So ist mir's wert. Doch die von mir?
Amine.   Zu jenen Kränzen
   Fürs Fest gebraucht ich sie.
Eridon.   Dazu! Wie wirst du glänzen!
   Lieb in des Jünglings Herz und bei den Mädchen Neid
   Erregen!
Egle.   Freue dich, daß du die Zärtlichkeit
   So eines Mädchens hast, um die so viele streiten.
Eridon.
   Ich kann nicht glücklich sein, wenn viele mich beneiden.
Egle.
   Und könntest doch; denn wer ist sicherer als du?
Eridon *(zu Aminen).*
   Erzähl mir doch vom Fest; kommt wohl Damöt dazu?
Egle *(einfallend).*
   Er sagte mir es schon, er werde heut nicht fehlen.
Eridon *(zu Aminen).*
   Mein Kind, wen wirst du dir zu deinem Tänzer
                              wählen?
      (Amine schweigt, er wendet sich zu Eglen.)
   O sorge, gib ihr den, der ihr am liebsten sei!
Amine.
   Das ist unmöglich, Freund, denn du bist nicht dabei!
Egle.
   Nein, hör nur, Eridon, ich kann's nicht mehr ertragen,
   Welch eine Lust ist das, Aminen so zu plagen?
   Verlaß sie, wenn du glaubst, daß sie die Treue bricht;
   Glaubst du, daß sie dich liebt, nun gut, so plag sie nicht.
Eridon.
   Ich plage sie ja nicht.

E g l e.   Wie? Heißt das sie erfreuen?
    Aus Eifersucht Verdruß auf ihr Vergnügen streuen,
    Stets zweifeln, da sie dir doch niemals Ursach gibt,
    Daß sie –
E r i d o n.   Bürgst du mir denn, daß sie mich wirklich liebt?
A m i n e.
    Ich dich nicht lieben! Ich!
E r i d o n.   Wenn lehrst du mich es glauben?
    Wer ließ sich einen Strauß vom kecken Damon rauben?
    Wer nahm das schöne Band vom jungen Thyrsis an?
A m i n e.
    Mein Eridon! –
E r i d o n.   Nicht wahr, das hast du nicht getan?
    Belohntest du sie denn? O ja, du weißt zu küssen.
A m i n e.
    Mein Bester, weißt du nicht? –
E g l e.   O schweig, er will nichts wissen!
    Was du ihm sagen kannst, hast du ihm längst gesagt;
    Er hat es angehört und doch aufs neu geklagt.
    Was hilft's dich? Magst du's ihm auch heut noch einmal
                          sagen;
    Er wird beruhigt gehn, und morgen wieder klagen.
E r i d o n.
    Und das vielleicht mit Recht.
A m i n e.   Mit Recht? Ich! Untreu sein?
    Amine dir? Mein Freund, kannst du es glauben?
E r i d o n.   Nein!
    Ich kann, ich will es nicht.
A m i n e.   Gab ich in meinem Leben
    Dir je Gelegenheit?
E r i d o n.   Die hast du oft gegeben.

Amine.

  Wann war ich untreu?

Eridon.   Nie! das ist es, was mich quält:

  Aus Vorsatz hast du nie, aus Leichtsinn stets gefehlt.

  Das, was mir wichtig scheint, hältst du für

                                 Kleinigkeiten;

  Das, was mich ärgert, hat bei dir nichts zu bedeuten.

Egle.

  Gut! nimmt's Amine leicht, so sag, was schadet's dir?

Eridon.

  Das hat sie oft gefragt; ja freilich schadet's mir!

Egle.

  Was denn? Amine wird nie andern viel erlauben.

Eridon.

  Zuwenig zum Verdacht, zuviel, sie treu zu glauben.

Egle.

  Mehr, als ein weiblich Herz je liebte, liebt sie dich.

Eridon.

  Und liebt den Tanz, die Lust, den Scherz so sehr als mich.

Egle.

  Wer das nicht leiden kann, mag unsre Mütter lieben!

Amine.

  Schweig, Egle! Eridon, hör auf, mich zu betrüben!

  Frag unsre Freunde nur, wie ich an dich gedacht,

  Selbst wenn wir fern von dir getändelt und gelacht;

  Wie oft ich mit Verdruß, der mein Vergnügen nagte,

  Weil du nicht bei mir warst, was mag er machen?

                                 fragte.

  O wenn du es nicht glaubst, komm heute mit mir hin,

  Und dann sag noch einmal, daß ich dir untreu bin.

  Ich tanze nur mit dir, ich will dich nie verlassen,

Dich nur soll dieser Arm, dich diese Hand nur fassen.
Wenn mein Betragen dir den kleinsten Argwohn gibt –

Eridon.

Daß man sich zwingen kann, beweist nicht, daß man liebt.

Egle.

Sieh ihre Tränen an, sie fließen dir zur Ehre!
Nie dacht ich, daß dein Herz im Grund so böse wäre.
Die Unzufriedenheit, die keine Grenzen kennt
Und immer mehr verlangt, je mehr man ihr vergönnt;
Der Stolz, in ihrer Brust der Jugend kleine Freuden,
Die ganz unschuldig sind, nicht neben dir zu leiden,
Beherrschen wechselsweis dein hassenswürdig Herz;
Nicht ihre Liebe rührt, dich rühret nicht ihr Schmerz.
Sie ist mir wert, du sollst hinfort sie nicht betrüben:
Schwer wird es sein, dich fliehn, doch schwerer ist's, dich
lieben.

Amine *(für sich)*.

Ach! warum muß mein Herz so voll von Liebe sein!

Eridon *(steht einen Augenblick still, dann naht er sich furchtsam Aminen und faßt sie bei der Hand)*.

Amine! liebstes Kind, kannst du mir noch verzeihn?

Amine.

Ach, hab ich dir es nicht schon allzuoft bewiesen?

Eridon.

Großmüt'ges, bestes Herz, laß mich zu deinen Füßen –

Amine.

Steh auf, mein Eridon!

Egle.   Jetzt nicht so vielen Dank!
Was man zu heftig fühlt, fühlt man nicht allzulang.

Eridon.

Und diese Heftigkeit, mit der ich sie verehre –

Egle.

>Wär weit ein größer Glück, wenn sie so groß nicht wäre.
>Ihr lebtet ruhiger, und dein und ihre Pein –

Eridon.

>Vergib mir diesmal noch, ich werde klüger sein.

Amine.

>Geh, lieber Eridon, mir einen Strauß zu pflücken!
>Ist er von deiner Hand, wie schön wird er mich schmücken!

Eridon.

>Du hast die Rose ja!

Amine.   Ihr Lamon gab sie mir.

>Sie steht mir schön.

Eridon *(empfindlich)*.

>   Jawohl –

Amine.   Doch, Freund, ich geb sie dir,

>Daß du nicht böse wirst.

Eridon *(nimmt sie an und küßt ihr die Hand)*.

>   Gleich will ich Blumen bringen.
>   *(Ab.)*

VIERTER AUFTRITT

Amine. Egle. Hernach Lamon.

Egle.

>Gutherzig armes Kind, so wird dir's nicht gelingen!
>Sein stolzer Hunger wächst, je mehr daß du ihm gibst.
>Gib acht, er raubt zuletzt dir alles, was du liebst.

Amine.

    Verlier ich ihn nur nicht, das *eine* macht mir bange.

Egle.

    Wie schön! Man sieht es wohl, du liebst noch nicht gar
                                      lange.

    Im Anfang geht es so; hat man sein Herz verschenkt,

    So denkt man nichts, wenn man nicht an den Liebsten
                                     denkt.

    Ein seufzender Roman, zu dieser Zeit gelesen,

    Wie zärtlich der geliebt, wie jener treu gewesen,

    Wie fühlbar jener Held, wie groß in der Gefahr,

    Wie mächtig zu dem Streit er durch die Liebe war,

    Verdreht uns gar den Kopf, wir glauben, uns zu
                                    finden,

    Wir wollen elend sein, wir wollen überwinden.

    Ein junges Herz nimmt leicht den Eindruck vom Roman;

    Allein ein Herz, das liebt, nimmt ihn noch leichter an.

    Wir lieben lange so, bis wir zuletzt erfahren,

    Daß wir, statt treu zu sein, von Herzen närrisch waren.

Amine.

    Doch das ist nicht mein Fall.

Egle.   Ja, in der Hitze spricht

    Ein Kranker oft zum Arzt: Ich hab das Fieber nicht.

    Glaubt man ihm das? Niemals. Trotz allem Widerstreben

    Gibt man ihm Arzenei. So muß man dir sie geben.

Amine.

    Von Kindern spricht man so, von mir klingt's lächerlich;

    Bin ich ein Kind?

Egle.   Du liebst!

Amine.   Du auch!

Egle.   Ja, lieb wie ich;

Besänftige den Sturm, der dich bisher getrieben!

Man kann sehr ruhig sein, und doch sehr zärtlich lieben.

Lamon.

Da ist das Band!

Amine.   Sehr schön!

Egle.   Wie lange zauderst du!

Lamon.

Ich ging am Hügel hin, da rief mir Chloris zu.

Da hab ich ihr den Hut mit Blumen schmücken müssen.

Egle.

Was gab sie dir dafür?

Lamon.   Was? Nichts! Sie ließ sich küssen.

Man tu auch, was man will, man trägt doch nie zum Lohn

Von einem Mädchen mehr als einen Kuß davon.

Amine *(zeigt Eglen den Kranz mit der Schleife).*

Ist es so recht?

Egle.   Ja, gib!

*(Sie hängt Aminen den Kranz um, so daß die Schleife auf
die rechte Schulter kommt. Mittlerweile redet sie mit Lamon.)*

Hör! nur recht lustig heute!

Lamon.

Nur heute recht gelärmt! Man fühlt nur halbe Freude,

Wenn man sie sittsam fühlt und lang sich's überlegt,

Ob unser Liebster das, der Wohlstand jen's erträgt.

Egle.

Du hast wohl recht.

Lamon.   Jawohl!

Egle.   Amine! setz dich nieder!

*(Amine setzt sich, Egle steckt ihr Blumen in die Haare, indem
sie fortredet.)*

Komm, gib mir doch den Kuß von deiner Chloris wieder.

Lamon *(küßt sie).*

  Von Herzen gerne. Hier!

Amine.   Seid ihr nicht wunderlich!

Egle.

  Wär Eridon es so, es wär ein Glück für dich.

Amine.

  Gewiß, er dürfte mir kein fremdes Mädchen küssen.

Lamon.

  Wo ist die Rose?

Egle.   Sie hat sie ihm geben müssen,

  Ihn zu besänftigen.

Amine.   Ich muß gefällig sein.

Lamon.

  Gar recht! Verzeih du ihm, so wird er dir verzeihn.

  Ja, ja! Ich merk es wohl, ihr plagt euch um die Wette.

Egle *(als ein Zeichen, daß sie mit dem Kopfputze fertig ist).*

  So!

Lamon.

    Schön!

Amine.   Ach, daß ich doch jetzt schon die Blumen hätte,

  Die Eridon mir bringt.

Egle.   Erwart ihn immer hier.

  Ich geh und putze mich. Komm, Lamon, geh mit mir!

  Wir lassen dich allein und kommen bald zurücke.

FÜNFTER AUFTRITT

Amine, hernach Eridon.

Amine.

O welche Zärtlichkeit, beneidenswürd'ges Glücke!
Wie wünscht ich – sollt es wohl in meinen Kräften stehn? –,
Den Eridon vergnügt und mich beglückt zu sehn!
Hätt ich nicht so viel Macht ihm über mich gegeben,
Er würde glücklicher und ich zufriedner leben.
Versuch, ihm diese Macht durch Kaltsinn zu entziehn!
Doch wie wird seine Wut bei meiner Kälte glühn!
Ich kenne seinen Zorn, wie zittr' ich, ihn zu fühlen!
Wie schlecht wirst du, mein Herz, die schwere Rolle
                              spielen!
Doch wenn du es so weit wie deine Freundin bringst,
Da er dich sonst bezwang, du künftig ihn bezwingst –
Heut ist Gelegenheit; sie nicht vorbei zu lassen,
Will ich gleich jetzt – Er kommt! Mein Herz, du mußt
                              dich fassen.

Eridon *(gibt ihr Blumen).*

Sie sind nicht gar zu schön, mein Kind! verzeih es mir,
Aus Eile nahm ich sie.

Amine.   Genug, sie sind von dir.

Eridon.

So blühend sind sie nicht, wie jene Rosen waren,
Die Damon dir geraubt.

Amine *(steckt sie an den Busen).*

                    Ich will sie schon bewahren;
Hier, wo du wohnst, soll auch der Blumen Wohnplatz
                              sein.

Eridon.
    Ist ihre Sicherheit da –
Amine.   Glaubst du etwa? –
Eridon.   Nein!
    Ich glaube nichts, mein Kind; nur Furcht ist's, was ich
                                         fühle.
    Das allerbeste Herz vergißt bei munterm Spiele,
    Wenn es des Tanzes Lust, des Festes Lärm zerstreut,
    Was ihm die Klugheit rät und ihm die Pflicht gebeut.
    Du magst wohl oft an mich auch beim Vergnügen denken;
    Doch fehlt es dir an Ernst, die Freiheit einzuschränken,
    Zu der das junge Volk sich bald berechtigt glaubt,
    Wenn ihm ein Mädchen nur im Scherze was erlaubt.
    Es hält ihr eitler Stolz ein tändelndes Vergnügen
    Sehr leicht für Zärtlichkeit.
Amine.   Gnug, daß sie sich betrügen!
    Wohl schleicht ein seufzend Volk Liebhaber um mich her;
    Doch du nur hast mein Herz, und sag, was willst du mehr?
    Du kannst den Armen wohl mich anzusehn erlauben,
    Sie glauben wunder –
Eridon.   Nein, sie sollen gar nichts glauben!
    Das ist's, was mich verdrießt. Zwar weiß ich, du bist
                                         mein;
    Doch einer denkt vielleicht, beglückt wie ich zu sein,
    Schaut in das Auge dir und glaubt dich schon zu küssen
    Und triumphiert wohl gar, daß er dich mir entrissen.
Amine.
    So störe den Triumph! Geliebter, geh mit mir,
    Laß sie den Vorzug sehn, den du –
Eridon.   Ich danke dir.
    Es würde grausam sein, das Opfer anzunehmen;

Mein Kind, du würdest dich des schlechten Tänzers
                                schämen;
Ich weiß, wem euer Stolz beim Tanz den Vorzug gibt:
Dem, der mit Anmut tanzt, und nicht dem, den ihr liebt.

A m i n e.

Das ist die Wahrheit.

E r i d o n *(mit zurückgehaltenem Spott).*

                                Ja! Ach, daß ich nicht die Gabe
Des leichten Damarens, des vielgepriesnen, habe!
Wie reizend tanzt er nicht!

A m i n e.   Schön! daß ihm niemand gleicht.

E r i d o n.

Und jedes Mädchen –

A m i n e.   Schätzt –

E r i d o n.   Liebt ihn darum!

A m i n e.   Vielleicht.

E r i d o n.

Vielleicht? Verflucht! Gewiß!

A m i n e.   Was machst du für Gebärden?

E r i d o n.

Du fragst? Plagst du mich nicht, ich möchte rasend
                                werden.

A m i n e.

Ich? Sag, bist du nicht schuld an mein und deiner Pein?
Grausamer Eridon! wie kannst du nur so sein?

E r i d o n.

Ich muß; ich liebe dich. Die Liebe lehrt mich klagen;
Liebt ich dich nicht so sehr, ich würde dich nicht plagen.
Ich fühl mein zärtlich Herz von Wonne hoch entzückt,
Wenn mir dein Auge lacht, wenn deine Hand mich
                                drückt.

Ich dank den Göttern, die mir dieses Glücke gaben;
Doch ich verlang's allein, kein andrer soll es haben.

Amine.

Nun gut, was klagst du denn? Kein andrer hat es nie.

Eridon.

Und du erträgst sie doch; nein, hassen sollst du sie.

Amine.

Sie hassen? und warum?

Eridon.　　　　　　Darum! weil sie dich lieben.

Amine.

Der schöne Grund!

Eridon.　　　　　Ich seh's, du willst sie nicht betrüben,
Du mußt sie schonen; sonst wird deine Lust geschwächt,
Wenn du nicht –

Amine.　　　　Eridon, du bist sehr ungerecht.

Heißt uns die Liebe denn die Menschlichkeit verlassen?
Ein Herz, das *einen* liebt, kann keinen Menschen hassen.
Dies zärtliche Gefühl läßt kein so schrecklichs zu,
Zum wenigsten bei mir.

Eridon.　　　　　　Wie schön verteidigst du
Des zärtlichen Geschlechts hochmütiges Vergnügen,
Wenn zwanzig Toren knien, die zwanzig zu betrügen!
Heut ist ein großer Tag, der deinen Hochmut nährt,
Heut wirst du manchen sehn, der dich als Göttin ehrt;
Noch manches junge Herz wird sich für dich entzünden,
Kaum wirst du Blicke gnug für alle Diener finden.
Gedenk an mich, wenn dich der Toren Schwarm vergnügt,
Ich bin der größte! Geh!

Amine *(für sich).*　　　Flieh, schwaches Herz! Er siegt.
Ihr Götter! Lebt er denn, mir jede Lust zu stören?
Währt denn mein Elend fort, um niemals aufzuhören?

(Zu Eridon.)

Der Liebe leichtes Band machst du zum schweren Joch,
Du quälst mich als Tyrann, und ich? ich lieb dich noch!
Mit aller Zärtlichkeit antwort ich auf dein Wüten,
In allem geb ich nach; doch bist du nicht zufrieden.
Was opfert ich nicht auf! Ach! dir genügt es nie.
Du willst die heut'ge Lust! Nun gut, hier hast du sie!

(Sie nimmt die Kränze aus den Haaren und von der Schulter, wirft sie weg und fährt in einem gezwungen ruhigen Tone fort.)

Nicht wahr, mein Eridon? So siehst du mich viel lieber
Als zu dem Fest geputzt. Ist nicht dein Zorn vorüber?
Du stehst! siehst mich nicht an! Bist du erzürnt auf mich?

E r i d o n *(fällt vor ihr nieder).*

Amine! Scham und Reu! Verzeih, ich liebe dich!
Geh zu dem Fest!

A m i n e.　　　Mein Freund, ich werde bei dir bleiben;
Ein zärtlicher Gesang soll uns die Zeit vertreiben.

E r i d o n.

Geliebtes Kind, geh!

A m i n e.　　　　Geh! hol deine Flöte her.

E r i d o n.

Du willst's!

SECHSTER AUFTRITT

A m i n e.　　Er scheint betrübt, und heimlich jauchzet er.
An ihn wirst du umsonst die Zärtlichkeit verlieren.

Dies Opfer, rührt' es ihn? Es schien ihn kaum zu rühren;
Er hielt's für Schuldigkeit. Was willst du, armes Herz?
Du murrst, drückst diese Brust. Verdient ich diesen
                                        Schmerz?
Ja, wohl verdienst du ihn! Du siehst, dich zu betrüben
Hört er nicht auf, und doch hörst du nicht auf zu lieben.
Ich trag's nicht lange mehr. Still! Ha! ich höre dort
Schon die Musik. Es hüpft mein Herz, mein Fuß will fort.
Ich will! Was drückt mir so die bange Brust zusammen!
Wie ängstlich wird es mir! Es zehren heft'ge Flammen
Am Herzen. Fort, zum Fest! Ach, er hält mich zurück!
Armsel'ges Mädchen! Sieh, das ist der Liebe Glück!
*(Sie wirft sich auf einen Rasen und weint; da die andern
     auftreten, wischt sie sich die Augen und steht auf.)*
Weh mir, da kommen sie, wie werden sie mich höhnen!

SIEBENTER AUFTRITT

Amine. Egle. Lamon.

E g l e.
    Geschwind! Der Zug geht fort! Amine! Wie? In Tränen?
L a m o n *(hebt die Kränze auf)*.
    Die Kränze?
E g l e.   Was ist das? wer riß sie dir vom Haupt?
A m i n e.
    Ich!
E g l e.   Willst du denn nicht mit?

A m i n e.   Gern, wär es mir erlaubt.
E g l e.

  Wer hat dir denn was zu erlauben? Geh, und rede
  Nicht so geheimnisvoll! Sei gegen uns nicht blöde!
  Hat Eridon –?
A m i n e.   Ja! Er!
E g l e.   Das hatt ich wohl gedacht.

  Du Närrin, daß dich nicht der Schaden klüger macht!
  Versprachst du ihm vielleicht, du wolltest bei ihm bleiben,
  Um diesen schönen Tag mit Seufzern zu vertreiben?
  Ich zweifle nicht, mein Kind, daß du ihm so gefällst.
(Nach einigem Stillschweigen, indem sie Lamon einen Wink
gibt.)

  Doch du siehst besser aus, wenn du den Kranz behältst.
  Komm, setz ihn auf! und den, sieh! den häng hier herüber!
  Nun bist du schön.
(Amine steht mit niedergeschlagenen Augen und läßt Egle
machen. Egle gibt Lamon ein Zeichen.)
                    Doch ach, es läuft die Zeit vorüber,
  Ich muß zum Zug!
L a m o n.   Jawohl! Dein Diener, gutes Kind.
A m i n e *(beklemmt)*.

  Lebt wohl!
E g l e *(im Weggehen)*.

              Amine! nun, gehst du nicht mit? Geschwind!
              (Amine sieht sie traurig an und schweigt.)
L a m o n *(faßt Egle bei der Hand, sie fortzuführen)*.

  Ach, laß sie doch nur gehn! Vor Bosheit möcht ich
                                            sterben;
  Da muß sie einem nun den schönen Tanz verderben!
  Den Tanz mit rechts und links, sie kann ihn ganz allein,

Wie sich's gehört; ich hofft auf sie, nun fällt's ihr ein,
Zu Haus zu bleiben! Komm, ich mag ihr nichts mehr
                                             sagen.

Egle.
    Den Tanz versäumst du! Ja, du bist wohl zu beklagen.
    Er tanzt sich schön. Leb wohl!
*(Egle will Aminen küssen. Amine fällt ihr um den Hals und
                          weint.)*

Amine.   Ich kann's nicht mehr ertragen.

Egle.
    Du weinst?

Amine. So weint mein Herz, und ängstlich drückt es mich.
    Ich möchte! – Eridon, ich glaub, ich hasse dich.

Egle.
    Er hätt's verdient. Doch nein! Wer wird den Liebsten
                                             hassen?
    Du mußt ihn lieben, doch dich nicht beherrschen lassen.
    Das sagt ich lange schon! Komm mit!

Lamon.   Zum Tanz, zum Fest!

Amine.
    Und Eridon?

Egle.   Geh nur! ich bleib. Gib acht, er läßt
    Sich fangen und geht mit. Sag, würde dich's nicht freuen?

Amine.
    Unendlich!

Lamon.   Nun, so komm! Hörst du dort die Schalmeien!
    Die schöne Melodie?
        (Er faßt Aminen bei der Hand, singt und tanzt.)

Egle *(singt)*.
        Und wenn euch der Liebste mit Eifersucht plagt,
        Sich über ein Nicken, ein Lächeln beklagt,

Mit Falschheit euch necket, von Wankelmut spricht:
Dann singet und tanzet, da hört ihr ihn nicht.
(Lamon zieht im Tanz Aminen mit sich fort.)

A m i n e *(im Abgehen).*   O bring ihn ja mit dir!

ACHTER AUFTRITT

Egle, hernach Eridon mit einer Flöte und Liedern.

E g l e.
Schon gut! Wir wollen sehn! Schon lange wünscht ich mir
Gelegenheit und Glück, den Schäfer zu bekehren.
Heut wird mein Wunsch erfüllt; wart nur, ich will dich
                                        lehren!
Dir zeigen, wer du bist; und wenn du dann sie plagst! –
Er kommt! Hör, Eridon!

E r i d o n.   Wo ist sie?

E g l e.   Wie! du fragst?
Mit meinem Lamon dort, wo die Schalmeien blasen.

E r i d o n *(wirft die Flöte auf die Erde und zerreißt die
Lieder).*
Verfluchte Untreu!

E g l e.   Rasest du?

E r i d o n.   Sollt ich nicht rasen!
Da reißt die Heuchlerin mit lächelndem Gesicht
Die Kränze von dem Haupt und sagt: Ich tanze nicht!
Verlangt ich das? Und – Oh!

(Er stampft mit dem Fuße und wirft die zerrissenen Lieder weg.)

E g l e *(in einem gesetzten Tone).*

Erlaub mir doch zu fragen:
Was hast du für ein Recht, den Tanz ihr zu versagen?
Willst du denn, daß ein Herz, von deiner Liebe voll,
Kein Glück als nur das Glück um dich empfinden soll?
Meinst du, es sei der Trieb nach jeder Lust gestillet,
Sobald die Zärtlichkeit das Herz des Mädchens füllet?
Genug ist's, daß sie dir die besten Stunden schenkt,
Mit dir am liebsten weilt, abwesend an dich denkt.
Drum ist es Torheit, Freund, sie ewig zu betrüben;
Sie kann den Tanz, das Spiel, und doch dich immer lieben.

E r i d o n *(schlägt die Arme unter und sieht in die Höhe).*

Ah!

E g l e. Sag mir, glaubst du denn, daß dieses Liebe sei,
Wenn du sie bei dir hältst? Nein, das ist Sklaverei.
Du kommst: nun soll sie dich, nur dich beim Feste sehen;
Du gehst: nun soll sie gleich mit dir von dannen gehen;
Sie zaudert: alsobald verdüstert sich dein Blick;
Nun folgt sie dir, doch bleibt ihr Herz gar oft zurück.

E r i d o n.

Wohl immer!

E g l e.   Hört man doch, wenn die Verbittrung redet.
Wo keine Freiheit ist, wird jede Lust getötet.
Wir sind nun so. Ein Kind ist zum Gesang geneigt;
Man sagt ihm: Sing mir doch! Es wird bestürzt und
                                            schweigt.
Wenn du ihr Freiheit läßt, so wird sie dich nicht lassen;
Doch, machst du's ihr zu arg, gib acht, sie wird dich
                                            hassen.

Eridon.
   Mich hassen!
Egle.   Nach Verdienst. Ergreife diese Zeit
   Und schaffe dir das Glück der echten Zärtlichkeit!
   Denn nur ein zärtlich Herz, von eigner Glut getrieben,
   Das kann beständig sein, das nur kann wirklich lieben.
   Bekenne, weißt du denn, ob dir der Vogel treu,
   Den du im Käfig hältst?
Eridon.   Nein!
Egle.   Aber wenn er frei
   Durch Feld und Garten fliegt, und doch zurückekehret?
Eridon.
   Ja! Gut! Da weiß ich's.
Egle.   Wird nicht deine Lust vermehret,
   Wenn du das Tierchen siehst, das dich so zärtlich liebt,
   Die Freiheit kennt, und dir dennoch den Vorzug gibt?
   Und kommt dein Mädchen einst von einem Fest zurücke,
   Noch von dem Tanz bewegt, und sucht dich; ihre Blicke
   Verraten, daß die Lust nie ganz vollkommen sei,
   Wenn du, ihr Liebling, du, ihr Einz'ger, nicht dabei;
   Wenn sie dir schwört, ein Kuß von dir sei mehr als
                                        Freuden
   Von tausend Festen: bist du da nicht zu beneiden?
Eridon *(gerührt)*.
   O Egle!
Egle.   Fürchte, daß der Götter Zorn entbrennt,
   Da der Beglückteste sein Glück so wenig kennt.
   Auf! Sei zufrieden, Freund! Sie rächen sonst die Tränen
   Des Mädchens, das dich liebt.
Eridon.   Könnt ich mich nur gewöhnen,
   Zu sehn, daß mancher ihr beim Tanz die Hände drückt,

Der eine nach ihr sieht, sie nach dem andern blickt.
Denk ich nur dran, mein Herz möcht da vor Bosheit
reißen!

Egle.

Eh! laß das immer sein! das will noch gar nichts heißen.
Sogar ein Kuß ist nichts!

Eridon.   Was sagst du? Nichts ein Kuß?

Egle.

Ich glaube, daß man viel im Herzen fühlen muß,
Wenn er was sagen soll – Doch! willst du ihr
verzeihen?

Denn wenn du böse tust, so kann sie nichts erfreuen.

Eridon.

Ach, Freundin!

Egle *(schmeichelnd).*

Tu es nicht, mein Freund; du bist auch gut.

Leb wohl! *(Sie faßt ihn bei der Hand.)*
Du bist erhitzt!

Eridon.   Es schlägt mein wallend Blut –

Egle.

Noch von dem Zorn? Genug! Du hast es ihr vergeben.
Ich eile jetzt zu ihr. Sie fragt nach dir mit Beben;
Ich sag ihr: er ist gut! und sie beruhigt sich,
Ihr Herz wallt zärtlicher, und heißer liebt sie dich.
(Sie sieht ihn mit Empfindung an.)

Gib acht, sie sucht dich auf, sobald das Fest vorüber,
Und durch das Suchen selbst wirst du ihr immer lieber.
*(Egle stellt sich immer zärtlicher, lehnt sich auf seine
Schulter. Er nimmt ihre Hand und küßt sie.)*

Und endlich sieht sie dich! O welcher Augenblick!
Drück sie an deine Brust und fühl dein ganzes Glück!

Ein Mädchen wird beim Tanz verschönert, rote Wangen,
Ein Mund, der lächelnd haucht, gesunkne Locken hangen
Um die bewegte Brust, ein sanfter Reiz umzieht
Den Körper tausendfach, wie er im Tanze flieht,
Die vollen Adern glühn, und bei des Körpers Schweben
Scheint jede Nerve sich lebendiger zu heben.

(Sie affektiert eine zärtliche Entzückung und sinkt an seine
Brust, er schlingt seinen Arm um sie.)

Die Wollust, dies zu sehn, was überwiegt wohl die?
Du gehst nicht mit zum Fest und fühlst die Rührung nie.

Eridon.

Zu sehr, an deiner Brust, o Freundin, fühl ich sie!

(Er fällt Eglen um den Hals und küßt sie, sie läßt es ge-
schehn. Dann tritt sie einige Schritte zurück und fragt mit
einem leichtfertigen Ton.)

Egle.

Liebst du Aminen?

Eridon.   Sie, wie mich!

Egle.   Und kannst mich küssen?
O warte nur, du sollst mir diese Falschheit büßen!
Du ungetreuer Mensch!

Eridon.   Wie? glaubst du denn, daß ich –

Egle.

Ich glaube, was ich kann. Mein Freund, du küßtest mich
Recht zärtlich, das ist wahr. Ich bin damit zufrieden.
Schmeckt dir mein Kuß? Ich denk's; die heißen Lippen
                                 glühten
Nach mehr. Du armes Kind! Amine, wärst du hier!

Eridon.

Wär sie's!

Egle.   Nur noch getrutzt! Wie schlimm erging' es dir!

Eridon.
  Ja, keifen würde sie. Du mußt mich nicht verraten.
  Ich habe dich geküßt, jedoch was kann's ihr schaden,
  Und wenn Amine mich auch noch so reizend küßt,
  Darf ich nicht fühlen, daß dein Kuß auch reizend ist?
Egle.
  Da frag sie selbst.

LETZTER AUFTRITT

Amine. Egle. Eridon.

Eridon.   Weh mir!
Amine.   Ich muß, ich muß ihn sehen!
  Geliebter Eridon! Es hieß mich Egle gehen,
  Ich brach mein Wort, mich reut's; mein Freund, ich gehe
                         nicht!
Eridon *(für sich)*.
  Ich Falscher!
Amine.   Zürnst du noch? du wendest dein Gesicht.
Eridon *(für sich)*.
  Was werd ich sagen!
Amine.   Ach! verdient sie diese Rache,
  So eine kleine Schuld? Du hast gerechte Sache,
  Doch laß –
Egle.   O laß ihn gehn! Er hat mich erst geküßt;
  Das schmeckt ihm noch.

Amine.   Geküßt!
Egle.   Recht zärtlich!
Amine.   Ah! das ist
  Zuviel für dieses Herz! So schnell kannst du mich hassen?
  Ich Unglückselige! Mein Freund hat mich verlassen!
  Wer andre Mädchen küßt, fängt seins zu fliehen an.
  Ach! seit ich dich geliebt, hab ich so was getan?
  Kein Jüngling durfte mehr nach meinen Lippen streben;
  Kaum hab ich einen Kuß beim Pfänderspiel gegeben.
  Mir nagt die Eifersucht so gut das Herz wie dir;
  Und doch verzeih ich dir's, nur wende dich zu mir!
  Doch, armes Herz, umsonst bist du so sehr verteidigt!
  Er fühlt nicht Liebe mehr, seitdem du ihn beleidigt.
  Die mächt'ge Rednerin spricht nun umsonst für dich.
Eridon.
  O welche Zärtlichkeit! wie sehr beschämt sie mich!
Amine.
  O Freundin, konntest du mir meinen Freund verführen!
Egle.
  Getrost, mein gutes Kind! du sollst ihn nicht verlieren.
  Ich kenn den Eridon und weiß, wie treu er ist.
Amine.
  Und hat –
Egle.   Ja, das ist wahr, und hat mich doch geküßt.
  Ich weiß, wie es geschah, du kannst ihm wohl vergeben.
  Sieh! wie er es bereut!
Eridon *(fällt vor Aminen nieder)*.
                    Amine! Liebstes Leben!
  O zürne du mit ihr! sie machte sich so schön;
  Ich war dem Mund so nah und konnt nicht
                                        widerstehn.

Doch kennest du mein Herz, mir kannst du das erlauben,
So eine kleine Lust wird dir mein Herz nicht rauben.

E g l e.

Amine, küß ihn! weil er so vernünftig spricht.

(Zu Eridon.)

Lust raubt ihr nicht dein Herz, dir raubt sie ihres nicht.
So, Freund! du mußtest dir dein eigen Urteil sprechen;
Du siehst, liebt sie den Tanz, so ist es kein Verbrechen.

(Ihn nachahmend.)

Und wenn ein Jüngling ihr beim Tanz die Hände drückt,
Der eine nach ihr sieht, sie nach dem andern blickt,
Auch das hat, wie du weißt, nicht gar so viel zu sagen.
Ich hoffe, du wirst nie Aminen wieder plagen,
Und denke, du gehst mit.

A m i n e.   Komm mit zum Fest!

E r i d o n.   Ich muß;
Ein Kuß belehrte mich.

E g l e *(zu Aminen).*   Verzeih uns diesen Kuß.
Und kehrt die Eifersucht in seinen Busen wieder,
So sprich von diesem Kuß, dies Mittel schlag ihn nieder. –
Ihr Eifersüchtigen, die ihr ein Mädchen plagt,
Denkt *euren* Streichen nach, dann habt das Herz und
                              klagt.

NACHWORT

Die Laune des Verliebten ist, sofern man Unabgeschlossenes außer Betracht läßt, Goethes dramatischer Erstling. In Leipzig, wo er zunächst ein Schäferspiel *Amine* begonnen, dann aber liegengelassen hatte, arbeitete er an diesem „Schäferspiel in Versen und einem Akt" von Mitte Februar 1767 bis April 1768; es ist das Werk eines Achtzehnjährigen. Das Schäferspiel, in der Renaissance begründet, worauf etwa noch die Namen von Goethes Figuren weisen, ist von Form und Welt her eine Gattung der Künstlichkeit par excellence. In einer arkadischen Kostümwelt voll tändelnder Naivität bewegt sich ein temperiertes, nie überbordendes Spiel um Liebe, Sprödigkeit oder Eifersucht zwischen zwei Paaren, von denen das eine sich noch nicht gefunden oder schon wieder entzweit hat, das andere aber ein Musterbild von Harmonie und Einigkeit darstellt. Der Alexandrinervers, eine kultivierte Sprache und einige wenige, zu einem Einakter verbundene Szenen bilden die korrespondierende Form. Der junge Goethe hat sich an dieses traditionelle Schema streng gehalten und es mit viel Kunstverstand und bei manchen Umformungen mit nicht geringem Bemühen zu erfüllen gesucht. Wenn eigene Erfahrungen aus dem Liebesverhältnis zu Käthchen Schönkopf, worüber er später in *Dichtung und Wahrheit* (II, 7) schreibt: „durch unbegründete und abgeschmackte Eifersüchteleien verdarb ich mir und ihr die schönsten Tage", mit in das kleine Werk eingegangen

sein sollten, so entspricht dies einem durchaus auch literarisch
gesehenen, wenn nicht gar geführten Leben und einem Vor-
klang späterer Erlebnisdichtung. Einmal hat der Anspruch
des überlieferten Formschemas für den Leipziger Rokoko-
Goethe entschieden Vorrang, zum andern liegt die Leistung
durchaus in der lebensvollen, die Konvention bisweilen über-
schreitenden Erfüllung dieser Form. Die psychologische Dif-
ferenzierung der vier Figuren, der Wechsel der Stimmungen
in der Handlungsführung, die geschickt eingeleitete Intrige,
der scheinbar ungezwungene Gebrauch des Alexandriners
machen *Die Laune des Verliebten* zu einem höchst vollende-
ten Werk des Spätrokoko.

Gespielt wurde das Stück erst in Weimar 1779 auf dem
Herzoglichen Liebhabertheater mit Goethe als Eridon und
dann von 1805 an mehrfach auf dem dortigen Hoftheater.

Der zweite Einakter *Die Geschwister* gehört der Entste-
hung nach in die frühe Weimarer Zeit. Goethe hatte die
Formkultur des Rokoko längst hinter sich gelassen, das
„Schauspiel in einem Akt" ist in Prosa geschrieben wie die
vorher entstandenen ‚intimen Dramen' *Clavigo* und *Stella*.
Vor allem aber hatte Goethe inzwischen die Fähigkeit ge-
wonnen, Tief-Persönliches in einem Symbol zu sehen und
auszudrücken. Etwas Geheimnisvolles in dem Phänomen
der Geschwisterlichkeit hatte er in seinen Beziehungen zu
seiner Schwester Cornelia empfunden. Nun im Entstehungs-
jahr 1776 – auch die Gestalt der Iphigenie, die seit damals
langsam erwächst, hat jenen schwesterlichen Zug – stand
Goethe unter dem Eindruck der Begegnung mit Charlotte
von Stein, der er jene Ode sandte mit den Versen: „Ach, du
warst in abgelebten Zeiten / Meine Schwester oder meine
Frau." Keine sich ausschließenden Gegensätze, eher zwei
Aspekte eines gleichen geistig-seelischen Verhältnisses liegen
in den Worten „Schwester" und „Frau". Aus solchem Erleb-
nisgrund gewissermaßen hat Goethe am 26. Oktober 1776

auf dem Heimritt nach einer Jagd *Die Geschwister* „erfunden". Am 28. und 29. Oktober hat er das kleine Drama niedergeschrieben, am 30. und 31. Oktober diktiert.

Es ist in der kaufmännischen Sphäre angesiedelt, seine Figuren und ihre Welt sind bürgerlich. Bemerkenswert ist die Behutsamkeit mit dem Wort, der Anteil an stummem Spiel: „Er steht in sich gekehrt." „Marianne steht in Gedanken." „Marianne einen Augenblick still." „Er wird nachdenkend." „Wilhelm stumm in streitenden Qualen." „Wilhelm stumm in dem Umfange seiner Freuden." – nicht alles ist sagbar für diese einfach-realistischen Menschen. Aber vor allem auch in den nur halbbewußten Verhältnissen, in den seelischen Konflikten und bei der Tiefe der Beziehung zwischen Marianne und Wilhelm gehört dieses stumme Spiel zu den Darstellungsmitteln symbolischen Stils.

Wie Goethe das kleine Werk wertete, zeigt sein Brief an die Mutter und ihren Kreis vom 6. November: „Hier habt ihr ein klein Blümlein Vergiß mein nicht. Lest's! laßt's den Vater lesen, schickt's der Schwester und die soll mir's wiederschicken, niemand soll's abschreiben. Und das [dies Verbot] soll heilig gehalten werden, so kriegt ihr auch wieder was." Auch Frau von Stein beschwört er unter dem 2. Dezember: „Daß nur Herzogin Louise die ‚Geschwister' nicht weiter gibt oder sonst – Eh sie nach Gotha geht, lassen Sie sich's wiedergeben, es muß uns bleiben."

Am 21. November 1776 war die erste Aufführung auf dem Weimarer Liebhabertheater. Goethe selbst spielte den Wilhelm, Amalie Kotzebue, die Schwester des Theaterdichters, die Marianne. Gedruckt wurde das Stück erst in Band 3 der *Schriften* von 1787. Damit war der engere Kreis, für den es anfänglich bestimmt war, durchbrochen, 1789 wurde es auch auf dem Hoftheater in Weimar gespielt.

B.

Johann Wolfgang Goethe

IN RECLAMS UNIVERSAL-BIBLIOTHEK

Philipp Reclam jun. Stuttgart